Martin Christoph Redel

Gefangene Augenblicke

Spiegelfantasie für Klavier

2014

BOOSEY & HAWKES
BOTE & BOCK

Martin Christoph Redel
Gefangene Augenblicke
Spiegelfantasie für Klavier
opus 82

(2014)

Aufführungsdauer: 11 Minuten

Uraufführung:
28.04.2015, Jerusalem
Heidrun Holtmann

www.boosey.com

BB 3431
ISMN 979-0-2025-3431-1
ISBN 978-3-7931-4128-0

Aufführungshinweise

Teile der Komposition enthalten spezielle Spieltechniken wie z.B. gedämpfte Töne oder „Aeolian Harp“.
Um eine möglichst akurate Ausführung dieser Techniken zu erreichen ist es empfehlenswert, die entsprechenden Saiten auf den Dämpfern durch Aufkleber der Tonnamen zu markieren.
Die speziellen Spieltechiken werden durch folgende Symbole dargestellt:

1. Tasten stumm niederdrücken (für „Aeolian Harp“) und mit 3. (Prolongement-)Pedal halten.

2. Gedämpfte Töne (mit Finger)

Performance Notes

Parts of the composition include some special techniques such as muted tones or „aeolian harp“.
In order to make the execution of these effects as accurate as possible, it is recommended that the strings be clearly marked by affixing bits of tape to the dampers with the pitches labeled thereon.
The special techniques are distinguished by the following symbols:

1. Depress keys silently (for „Aeolian Harp) and keep Pedal 3. (Prolongement)

2. Mute string/s with finger/s

Die folgende Liste zeigt alle Töne, die in diesem Sinne für „gedämpfte Töne“ vorbereitet werden sollten:

The following table of pitches includes all the strings to be prepared for „muted tones“:

Pedalanordnung:

1. 𝔓𝔢𝔡. = rechtes Pedal (Dämpferaufhebung)

2. 𝔓𝔢𝔡. = linkes Pedal (una corda)

3. 𝔓𝔢𝔡. = mittleres Pedal (Sostenuto/Prolongement)

Pedal indications:

1. 𝔓𝔢𝔡. = right pedal (damper)

2. 𝔓𝔢𝔡. = left pedal (una corda)

3. 𝔓𝔢𝔡. = middle pedal (Sostenuto/Prolongement)

für Heidrun Holtmann

Gefangene Augenblicke

Captured Instants / Instants Captifs

Spiegelfantasie für Klavier

Martin Christoph Redel
Opus 82 (2014)

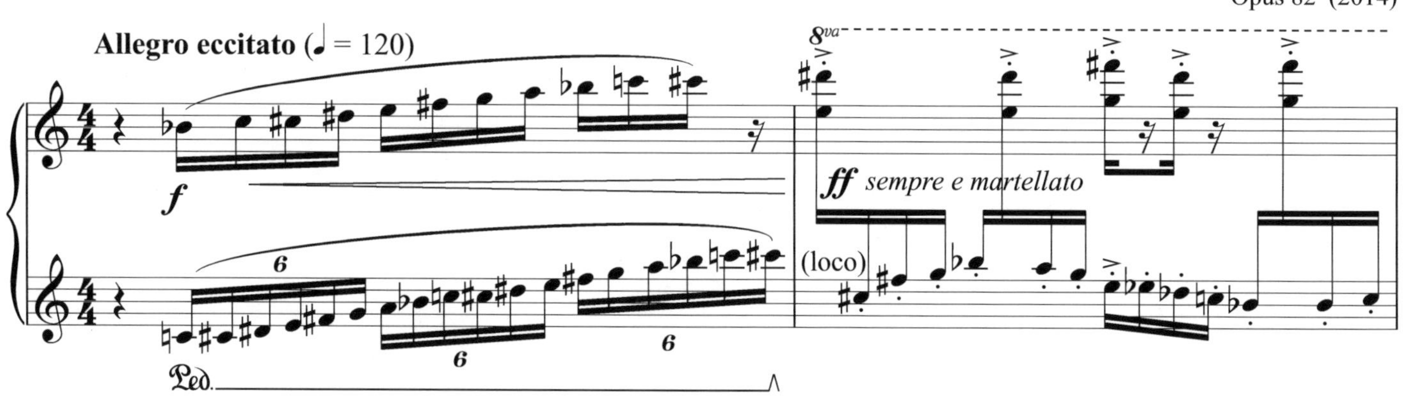

20160205

pesante
3. Ped.
p ma distinto
ff

22
8va
(loco)
24
8va
p
3. Ped.
26
8va
mp
f
ff
(ff)
3
3. Ped.
ff
30
p
f
8va
p
3. Ped.
33
ff
3
3
3
3
3. Ped.

36
f
f
ff
39
41
43
(ff)
l.H.
r.H.
(ff)
3. Ped.
45
ff sempre
3. Ped.

47
3. Ped.
50
8vb
52
(8)
54
8vb
56
(8)
3. Ped.

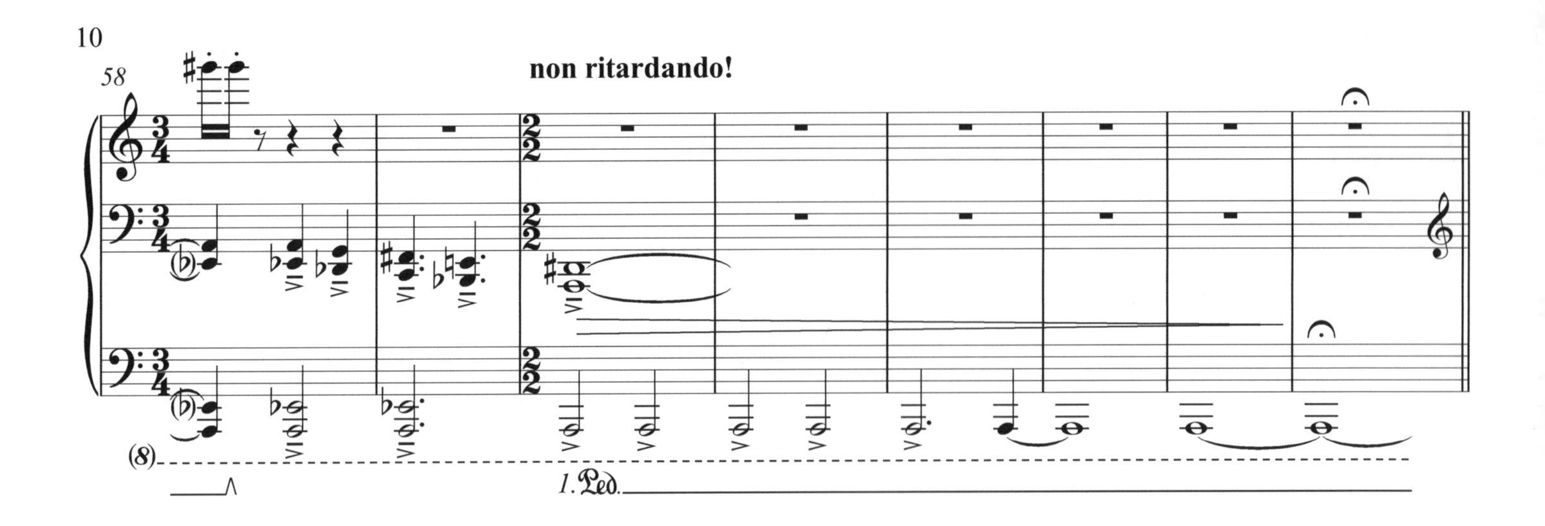
58
non ritardando!
(8)
1.Ped.

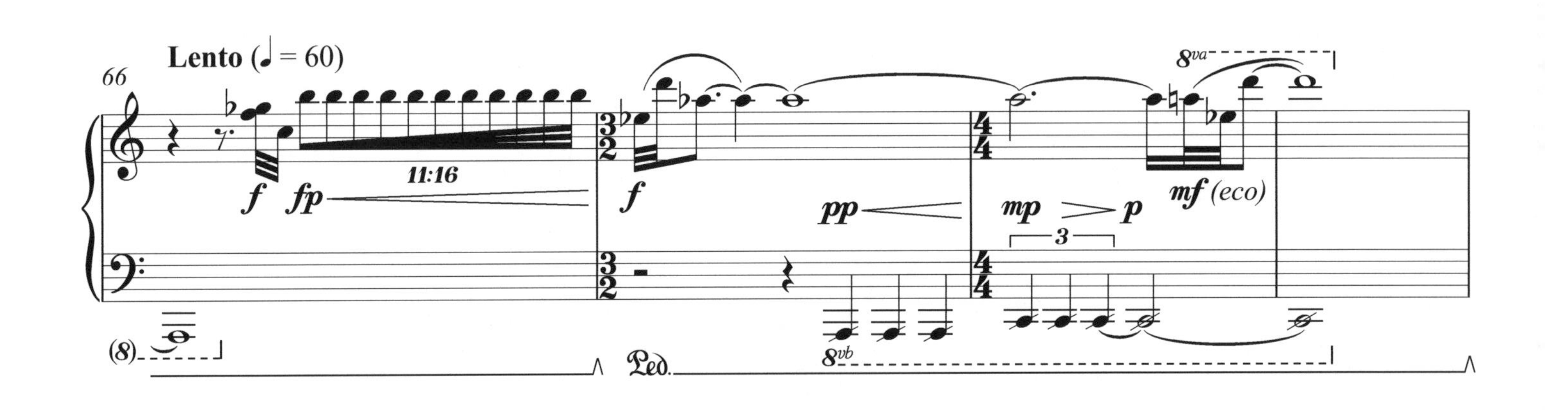
Lento (♩ = 60)
66
f
fp
11:16
f
pp
mp
p
mf (eco)
8va
8vb
(8)
Ped.

70
pp
mf
mp
f
fp
11:16
8vb
Ped.
halten bis Takt 79

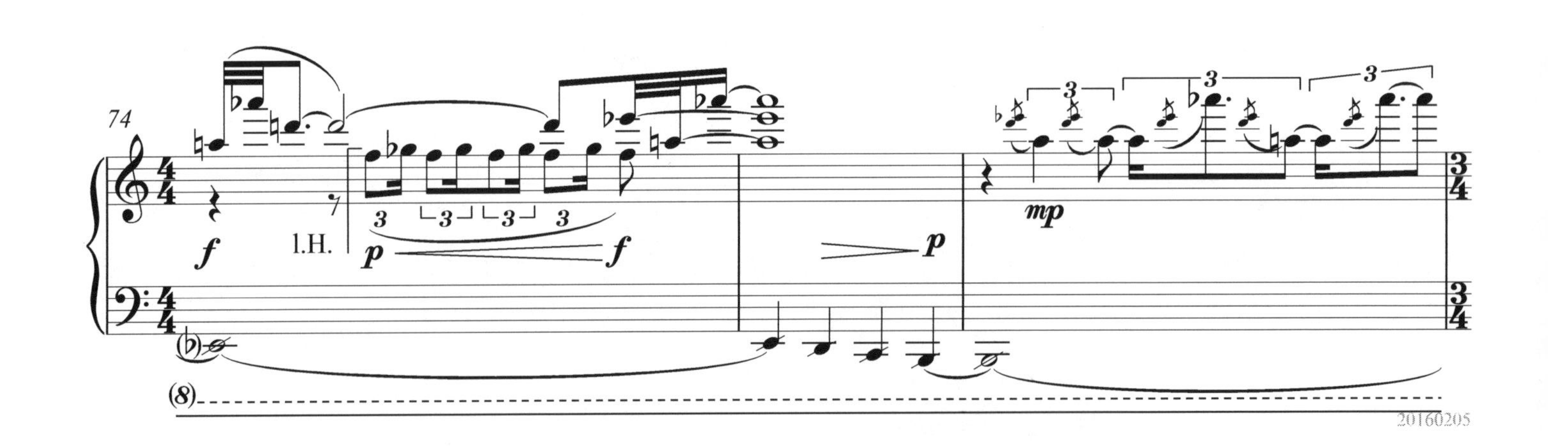
74
f
l.H.
p
f
p
mp
(8)

20160205

77
8va
mf
fp
9:8
f
mf
mp
mp
p
(8)
1. Ped.
8vb
80
mp
f > mp
p
mf
(loco)
(loco)
(8)
83
8va
p
f
f
più f
3
(8)
Ped.
86
(8)
8va
mp
p
f
fp
11:16
8va
f
loco
8vb
1. Ped.
3. Ped.

p subito
mf
più f
espress.
poco a poco dim.
Molto quieto (♩ = 50)
(ord.)
3. Ped.
20160205

111
mf
p
p
8vb
3. Ped.
115
ff
pp
(8)
3. Ped.
119
f
p
3. Ped.
122
mf
p
3. Ped.
cresc.
125
ff
mf
8vb
3. Ped.

Presto (♪ = ♩. / ♩. = 100)
127
ff
ffpp
p
mf
f
mf
131
p
fp
Ped.
134
f
Ped.
138
p
cresc.
Ped.
141
ff
pp
Ped.
145
f
Ped.
20160205

148
152
8va
fp
(p)
155
(8)
f
159
p
ff
subito
loco
164
ff sub.
169
3.
Ped.

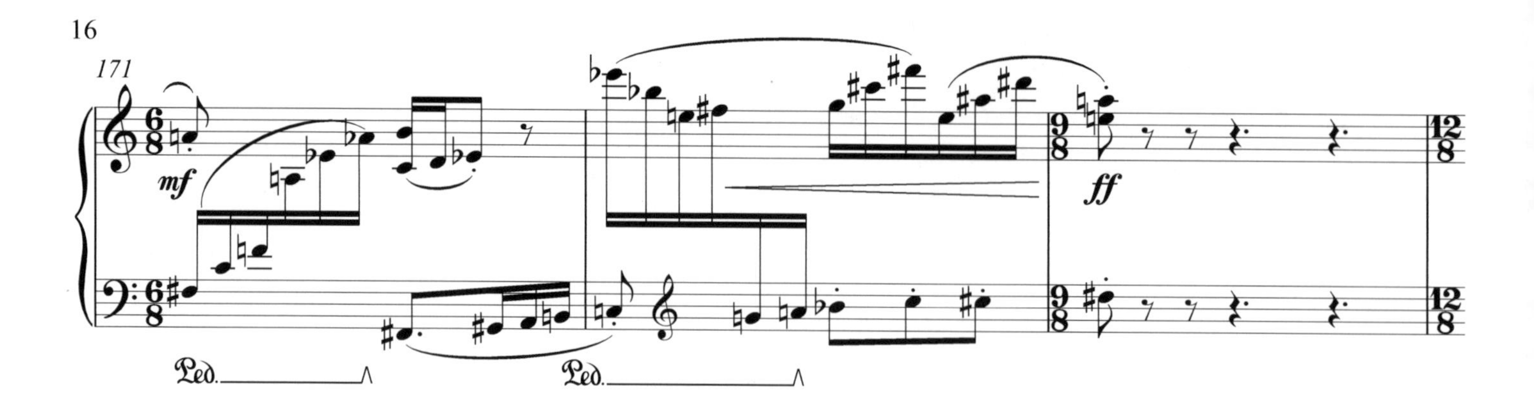

* staccatierte Töne (trotz ihrer Tondauer) "gezupft" bzw. "getupft" spielen, à la Harfe oder Vibraphon

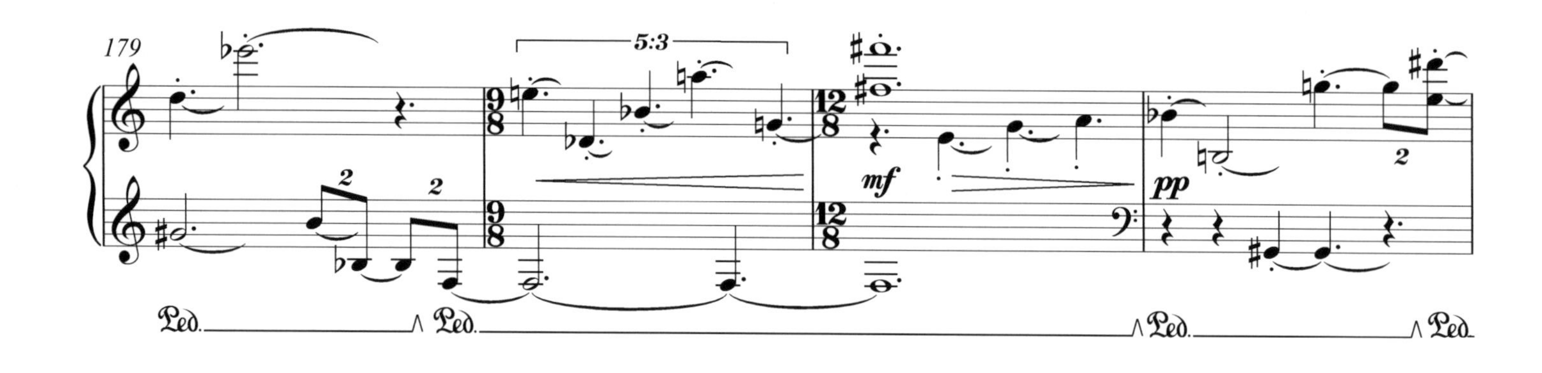

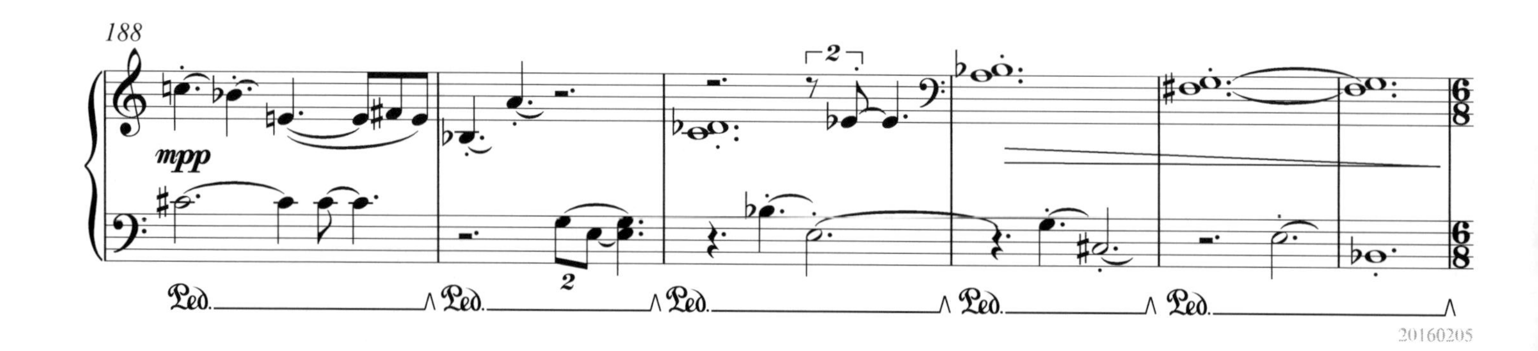

194
pp
p
mf
f

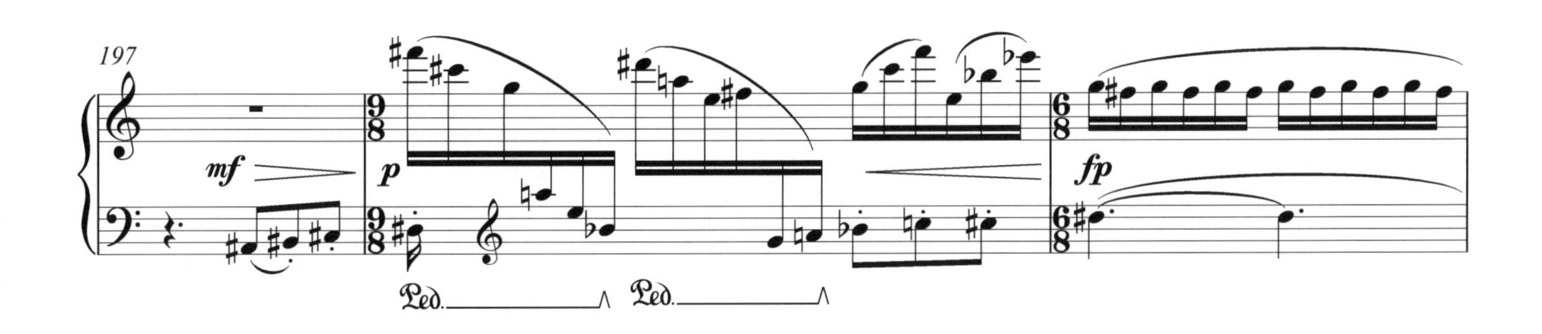
197
mf
p
fp
Ped.
Ped.

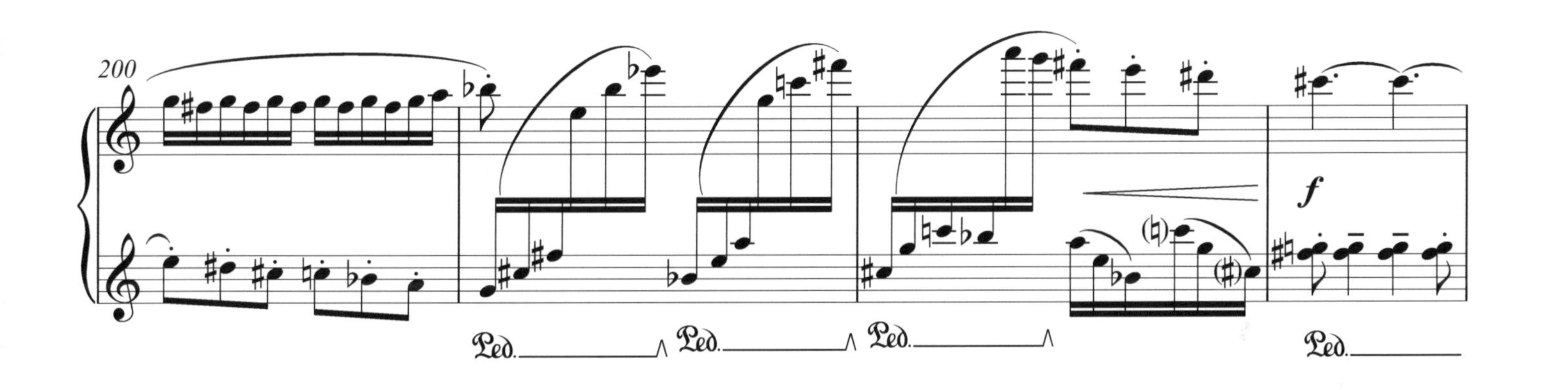
200
f
Ped.
Ped.
Ped.
Ped.

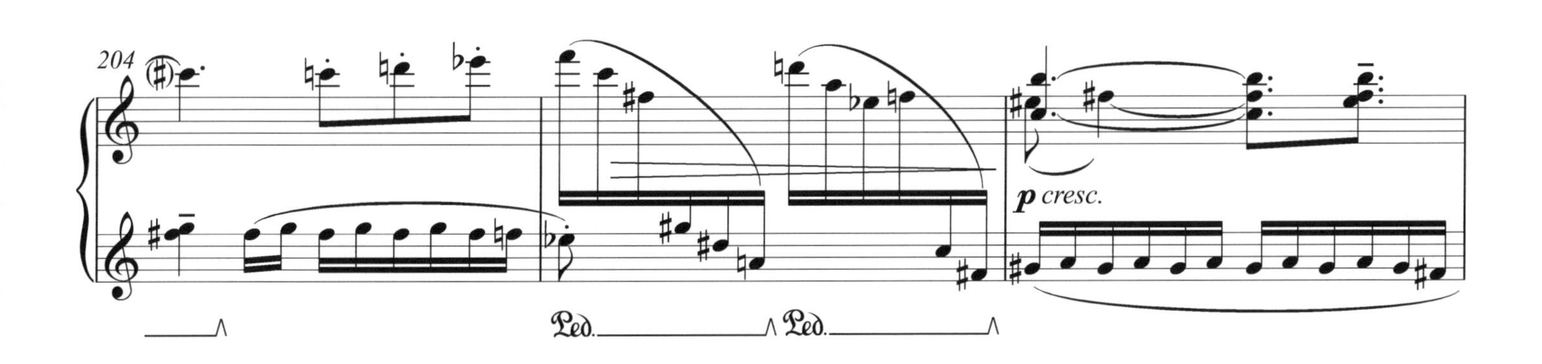
204
p cresc.
Ped.
Ped.

207
8va
ff
f
2

20160205

* Für Instrumente, bei denen die Originallage des Klanges nicht realisierbar ist

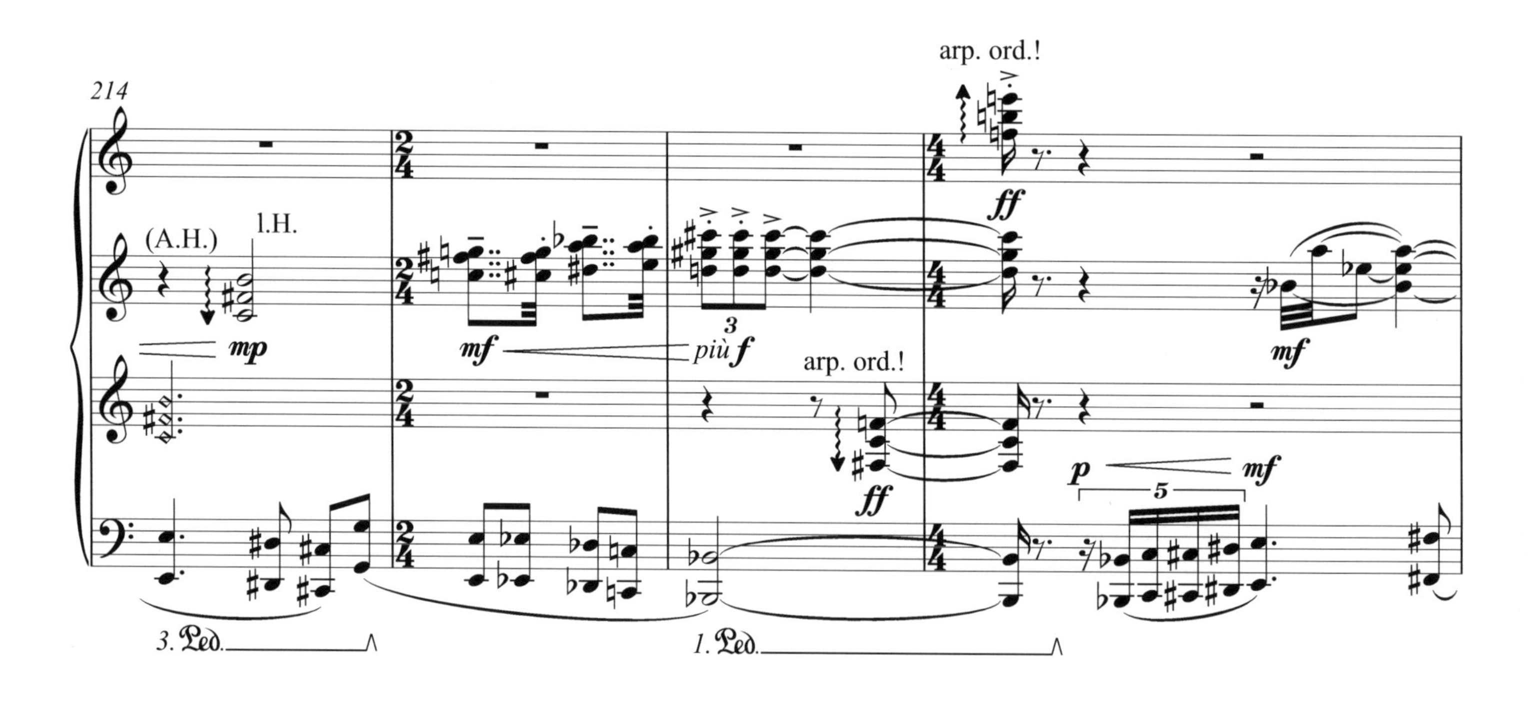

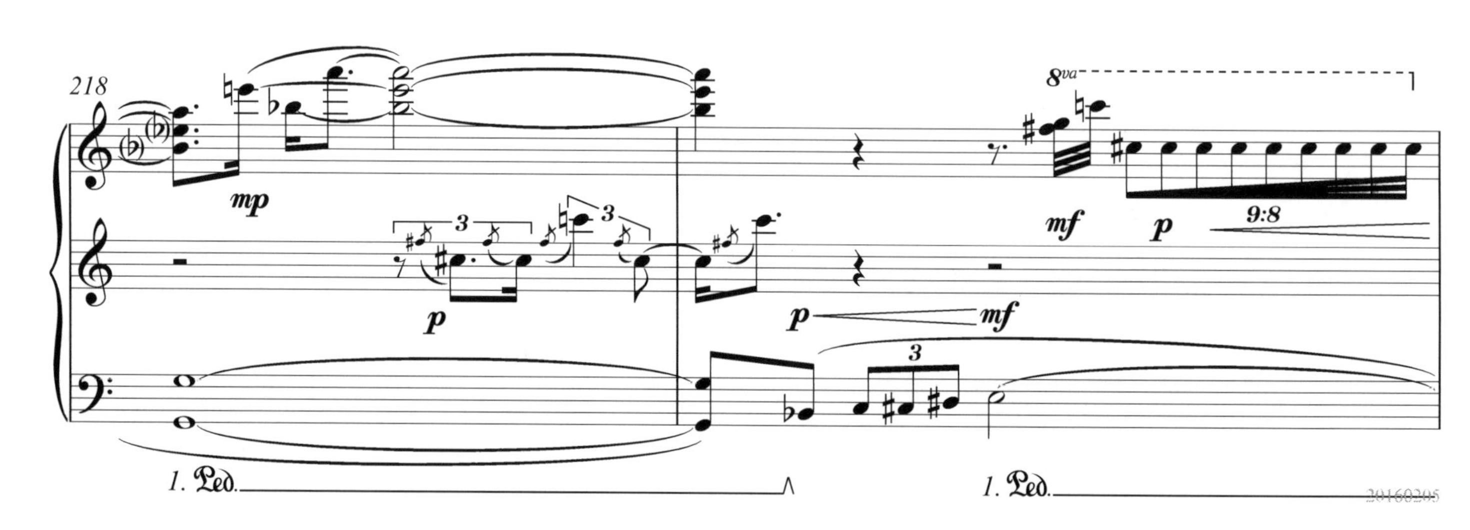

220
A.H. ord.
A.H. ord.
mf
p
espress.
ossia:*
ossia:*
* Für Instrumente, bei denen die
Originallage des Klanges nicht realisierbar ist
3. Ped.
3. Ped.
223
ff
1. Ped.
226
mf
Ped.
3. Ped.
228
6+1
8
sub. f
3. Ped.
1. Ped.

Brillante (♩. = 90)

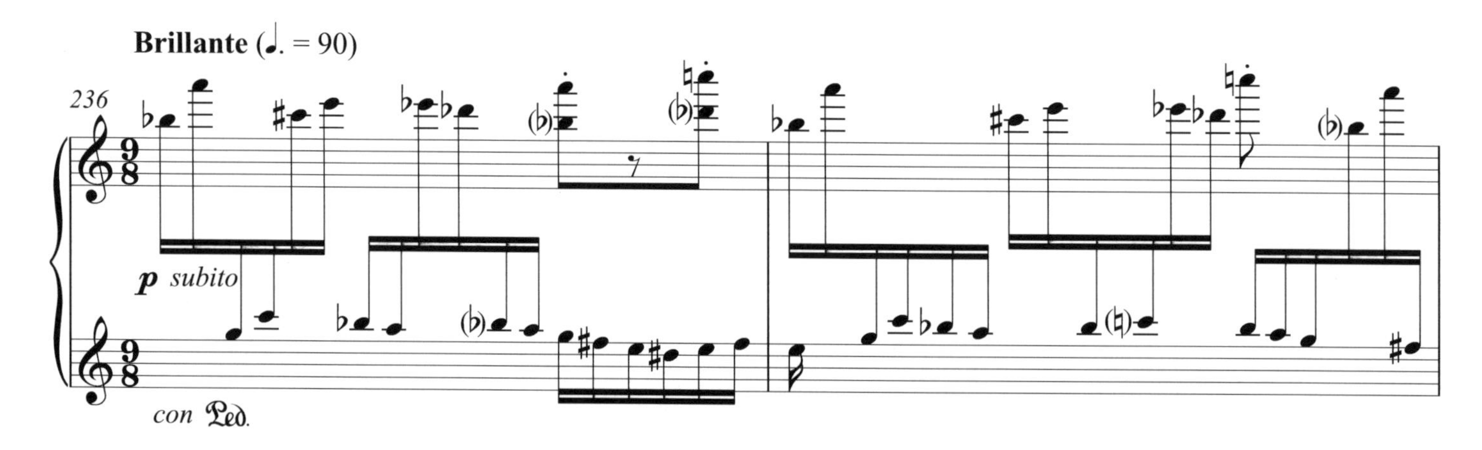

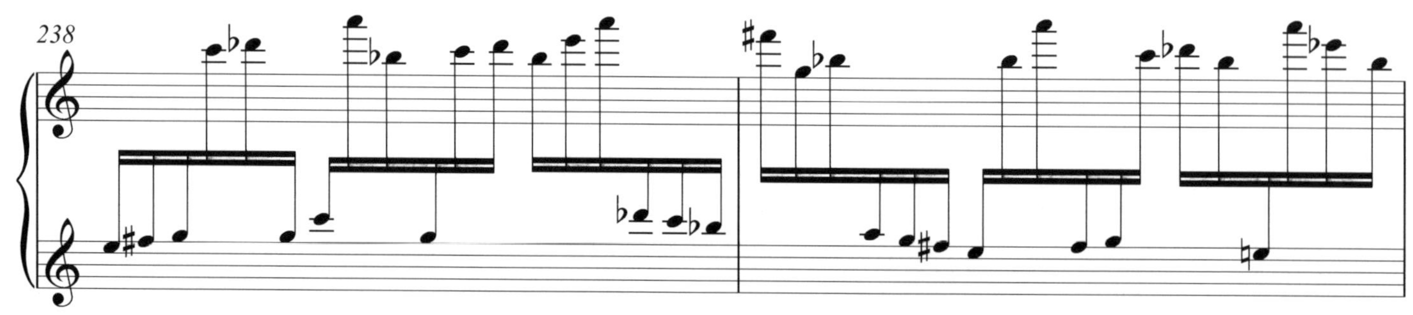

* Oktavierung bei Instrumenten, bei denen der Zugriff zur (Original-)Saite behindert ist.

240
8va

242
p

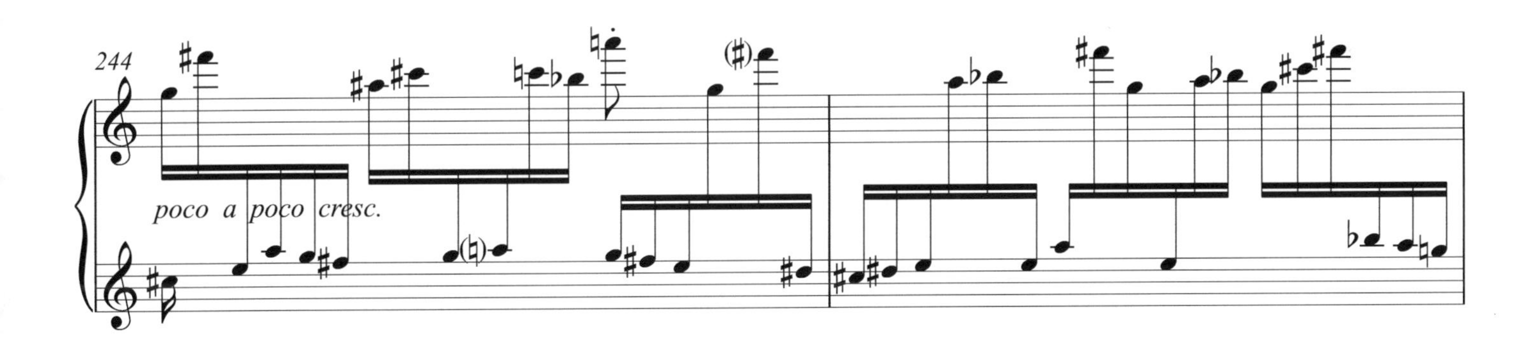
244
poco a poco cresc.

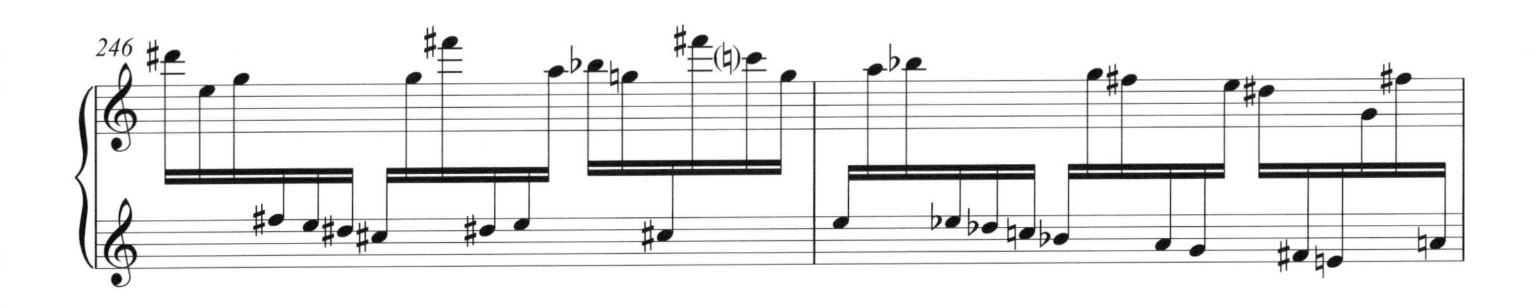
246

248
più f

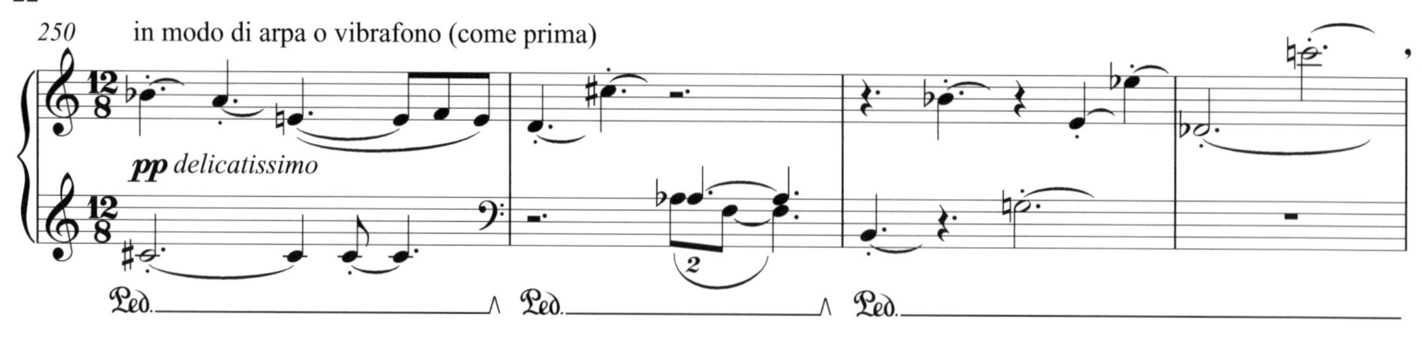
250
in modo di arpa o vibrafono (come prima)
pp delicatissimo
Ped.
Ped.
Ped.

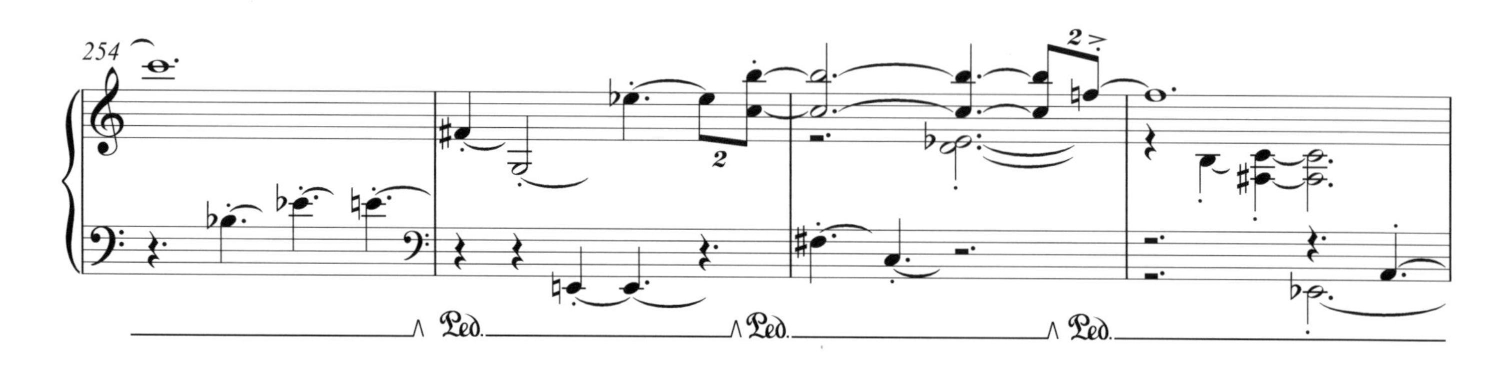
254
Ped.
Ped.
Ped.

258
f subito
senza pedale

260

262

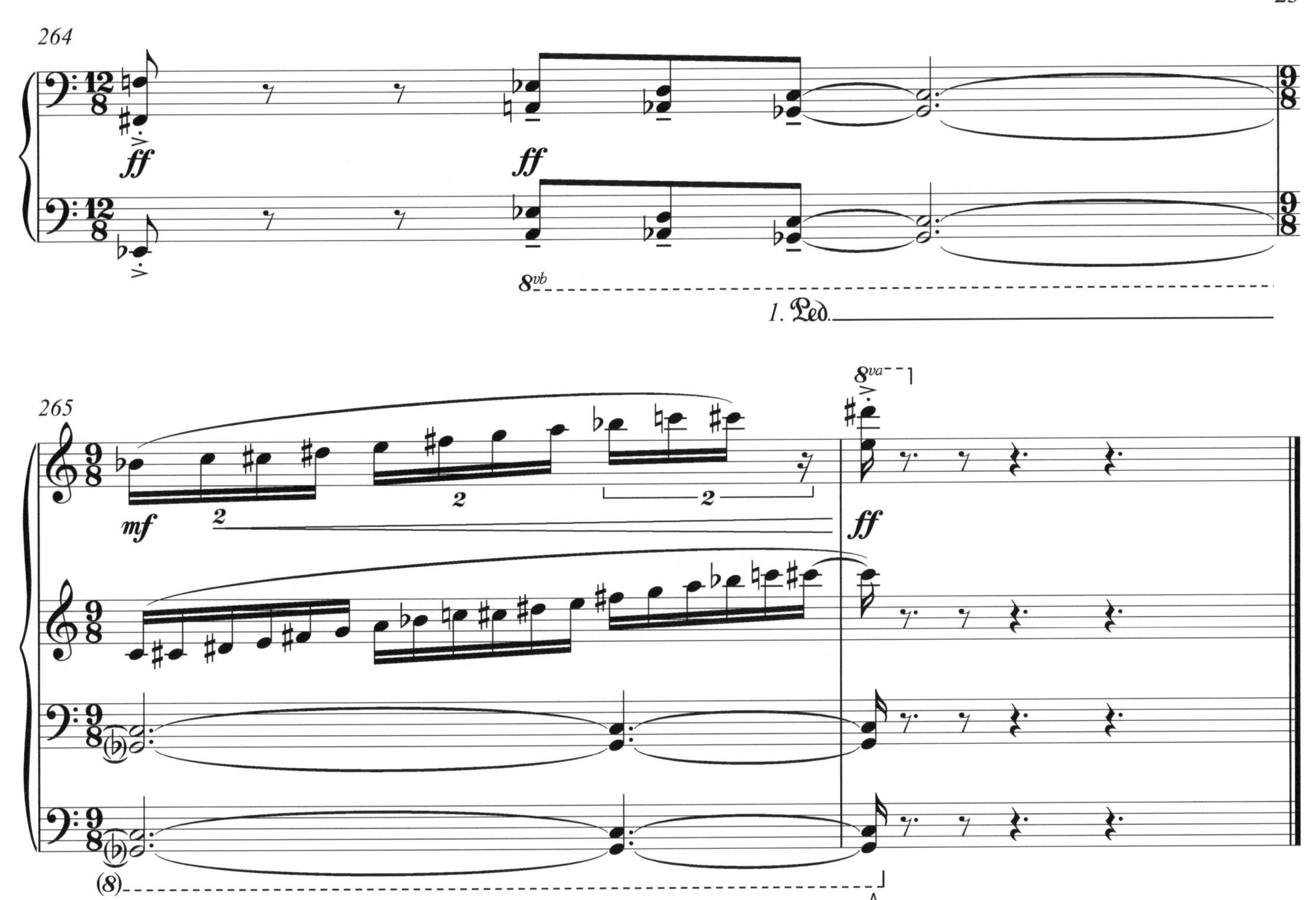
264
ff
ff
8vb
1. Ped.
265
8va
mf
2
2
2
ff
(8)